FRAGORI

A Charlie, che nel 2007 passava il tempo a misurare i sassi a Lulworth Cove.
A June, che nel 1941 ammirava l'aurora boreale da Londra durante il blackout.
A mio fratello e mia nonna, e a tutti coloro che amano imparare. – J.S.

Titolo originale: *Bang. The Wild Wonders of Earth's Phenomena*

Consulenza scientifica per l'edizione originale di Jon Cannell

Traduzione dall'inglese di Costanza Rossi

isbn: 978-88-6722-917-8
www.ippocampoedizioni.it

Stampato in Cina presso Artron Art (Group) Co., Ltd

FSC www.fsc.org MIX Paper from responsible sources FSC® C019910

JENNIFER N.R. SMITH

FRAGORI

Le MERAVIGLIE dei FENOMENI NATURALI

L'ippocampo

SOMMARIO

UN

MONDO FENOMENALE

BOOM! UN VULCANO IN INDONESIA ERUTTA LAVA ROVENTE EMETTENDO UNA SPETTACOLARE FONTANA INFUOCATA.
Nello stesso momento, migliaia di chilometri più a nord, una volpe artica ammira una sinuosa danza di luci verdi e blu nel cielo. Che pianeta fenomenale è la Terra!

La parola **FENOMENO** ha un doppio significato. Da una parte si riferisce a una caratteristica o a un evento osservabile e sperimentabile attraverso i sensi. Dall'altra indica qualcosa di notevole o di eccezionale – qualcosa di grande impatto!

In natura si verificano continuamente una moltitudine di fenomeni straordinari. Alcuni, come gli arcobaleni o i fulmini, sono una presenza quotidiana nella nostra vita, altri invece sono più rari o avvengono solo in determinati posti, ad esempio nei vulcani.

Il **clima** e la **configurazione geologica** determinano spesso il tipo di fenomeni osservabili in un certo territorio.

Fenomeni come l'innalzamento delle montagne, le eruzioni, i geyser e i terremoti sono più comuni lungo i margini delle placche tettoniche (vedi pagine 8-9).
I **fenomeni atmosferici** più eclatanti si manifestano invece con maggiore probabilità in aree geografiche molto fredde (verso i poli) o molto calde (verso l'equatore).

LEGENDA

1. VOLPE ARTICA, NUNAVUT, CANADA **2.** GEYSER, LAGO BOGORIA, KENYA
3. VORTICE DI NARUTO, GIAPPONE **4.** CORDIGLIERA DELLE ANDE, PERÙ
5. GHIACCIAI E ICEBERG, ANTARTIDE
6. MONTE MERAPI, INDONESIA

OCEANO PACIFICO

NORD AMERI

Equatore

Faglie

1.
2.
3.
MAR GLACIALE ARTICO
EUROPA
ASIA
OCEANO ATLANTICO
AFRICA
SUD AMERICA
OCEANO INDIANO
AUSTRALIA
E OCEANIA
OCEANO ANTARTICO
ANTARTIDE
5.
6.

LA STRUTTURA DELLA TERRA

PER COMPRENDERE MOLTI DEI FENOMENI DESCRITTI IN QUESTO LIBRO, TI SARÀ UTILE SAPERE com'è fatta la Terra. Se potessi tagliarne una fetta, vedresti che il nostro pianeta presenta una crosta simile a quella di una torta. Ma sotto questa superficie dura non tutto è così solido! Come in una torta appena sfornata, più ci si avvicina al centro, più la materia si fa calda, al punto che rocce e metalli si fondono e divengono liquidi.

ATMOSFERA

Lo strato esterno della Terra si chiama atmosfera e agisce come una bolla protettiva. È composta da vari tipi di gas, incluso l'ossigeno che respiriamo. È anche il luogo dove si verificano molti fenomeni impressionanti, come le tempeste e le aurore polari!

CROSTA

La Terra ci sembra molto solida perché noi viviamo sulla crosta, che è fatta di roccia dura. Questo è lo strato più sottile della Terra ed è suddiviso in **placche tettoniche**, che si incastrano tra loro come le tessere di un puzzle.

MANTELLO

La roccia al di sotto della crosta si chiama mantello, uno strato caldo e semisolido, come la crema della torta appena sfornata. Il mantello è mosso da un costante ciclo di calore, per il quale le rocce più calde salgono verso la crosta, per poi raffreddarsi e ridiscendere verso il nucleo.

NUCLEO ESTERNO

Sotto al mantello vi è il nucleo esterno, formato da metalli allo stato liquido. Sia il nucleo esterno che quello interno hanno temperature spaventosamente alte, intorno ai 5200°C!

NUCLEO INTERNO

Al centro della Terra si trova il nucleo interno, una sfera di metalli solidi, principalmente nichel e ferro. A quella profondità (circa 6000 km sotto la superficie terrestre) la pressione è talmente forte che, nonostante il calore smisurato, i metalli non possono fondere!

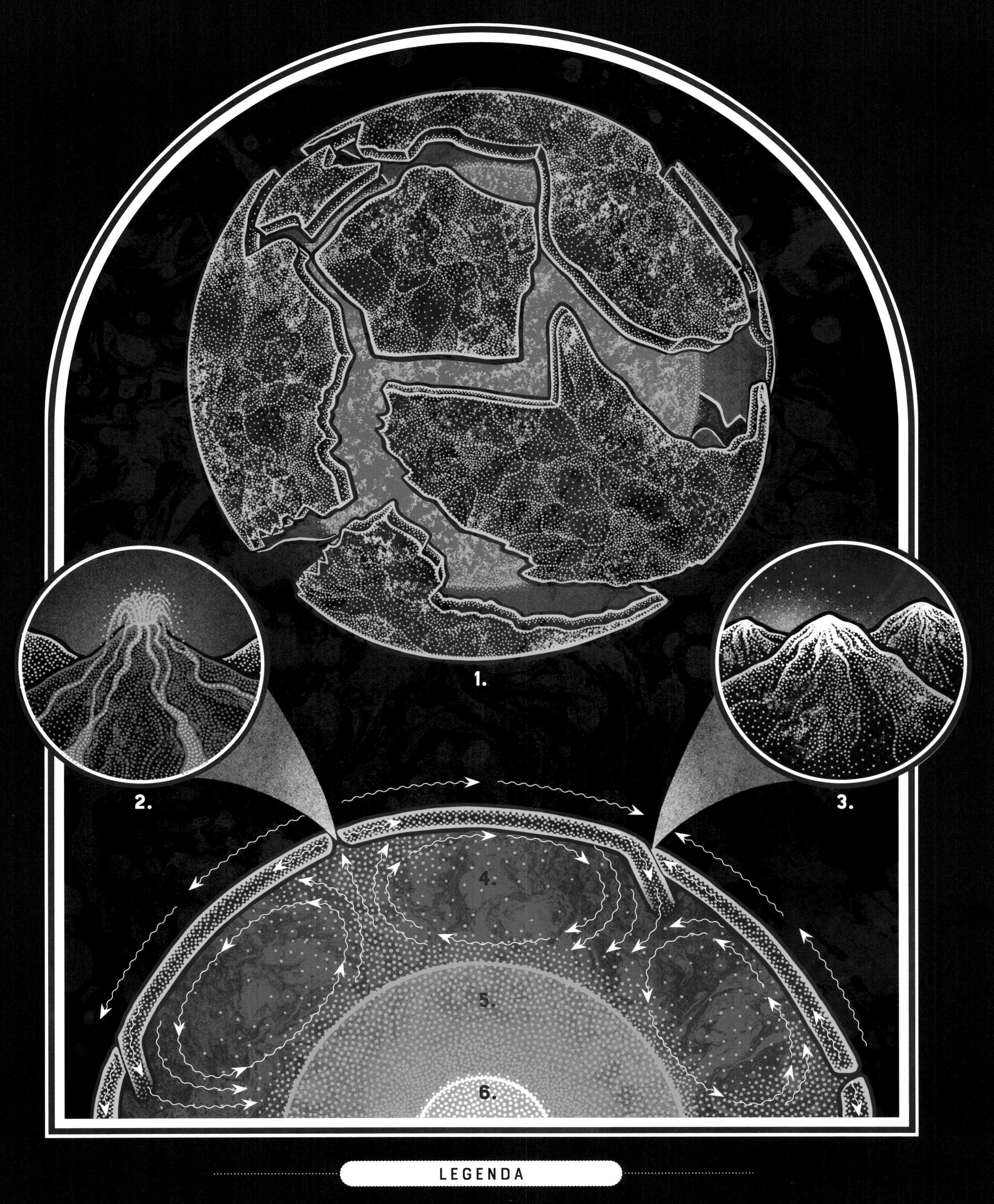

LEGENDA

1. PLACCHE TETTONICHE **2.** VULCANO FORMATO DA PLACCHE IN RECIPROCO ALLONTANAMENTO
3. CATENA MONTUOSA FORMATA DALLO SCONTRO FRA DUE PLACCHE
4. CONVEZIONE NEL MANTELLO **5.** NUCLEO ESTERNO **6.** NUCLEO INTERNO

La crosta terrestre è suddivisa in placche tettoniche. Sotto di esse si trova il mantello, dove la roccia fusa più fredda affonda e quella più calda risale, causando movimenti che si ripercuotono in superficie. Le placche possono scorrere l'una di fianco all'altra, avvicinarsi oppure allontanarsi, a seconda del moto convettivo del mantello sottostante. Eruzioni e terremoti si verificano soprattutto lungo i margini delle placche tettoniche.

ANATOMIA DI UN VULCANO

CON UN POSSENTE ROMBO, UNA FONTANA DI INCANDESCENTE LAVA ROSSA SGORGA dalla montagna. Scorrendo a valle, la lava si accumula e si raffredda in forme stupefacenti, modellando il paesaggio per gli anni a venire. Un vulcano è una fessura nella superficie della Terra che permette alla roccia fusa e ai gas di fuoriuscire dal mantello e dalla crosta. Questo fenomeno viene chiamato eruzione.

VULCANO A SCUDO

STRATOVULCANO

UCCELLO MALEO DELL'INDONESIA

CHE CALDO!

La roccia liquida o fusa al di sotto della crosta terrestre si chiama **magma**, ma una volta emersa in superficie prende il nome di **lava**. La lava può raggiungere una temperatura di 1250°C!

Sebbene possano essere suddivisi in varie categorie, si contano due tipologie fondamentali di vulcani: i **vulcani a scudo** e gli **stratovulcani**. I vulcani a scudo sono più piatti, meno esplosivi e provocano eruzioni che consistono soprattutto in colate di **flussi di lava**.

Gli stratovulcani (o vulcani a cono) hanno fianchi più ripidi e danno vita a eruzioni più intense ed esplosive. Oltre a creare **nubi di cenere** e **fontane di lava** di maggiori dimensioni, questi vulcani possono produrre i **flussi piroclastici**, ovvero delle nubi rapidissime ed estremamente calde di cenere, frammenti di lava e gas, molto pericolose e distruttive.

L'esplosività di un'eruzione è determinata dalla velocità con cui i gas naturali contenuti nel magma riescono a fuoriuscire. Più il magma è denso e viscoso, più le bolle di gas rimangono intrappolate nel tempo causando un accumulo di pressione nella camera magmatica fino a che... BOOM!

I vulcani non sono tutti attivi. I **vulcani estinti** non erutteranno mai più, mentre i **vulcani quiescenti** (o dormienti), pur tranquilli da molto tempo, potrebbero ridestarsi in futuro.

CONVIVERE CON I VULCANI

Forse penserai che, con la loro tendenza distruttiva, i vulcani non siano posti adatti a ospitare la vita... In realtà le aree vulcaniche possono vantare una natura assai prospera. Qui infatti il terreno tende a essere ricco di **minerali** e incredibilmente fertile: perfetto per la crescita delle piante.

Anche alcuni animali hanno deciso di sistemarsi all'ombra dei vulcani. Gli uccelli della specie Maleo, ad esempio, covano le uova sotterrandole nella sabbia calda. Dopo la schiusa, i pulcini si fanno strada scavando fino all'aria aperta. Non c'è dubbio, la loro è una culla ben strana!

1.
2.
3.
4.
5.
6.
7.
8.
9.
10.
LEGENDA
SEZIONE TRASVERSALE DI UN VULCANO
1. NUBE DI CENERE 2. FONTANA DI LAVA 3. BOMBE VULCANICHE 4. CRATERE 5. BOCCA 6. BOCCA SECONDARIA 7. CONDOTTO
8. CONDOTTO SECONDARIO 9. STRATI DI CENERE DA ERUZIONI PRECEDENTI 10. CAMERA MAGMATICA

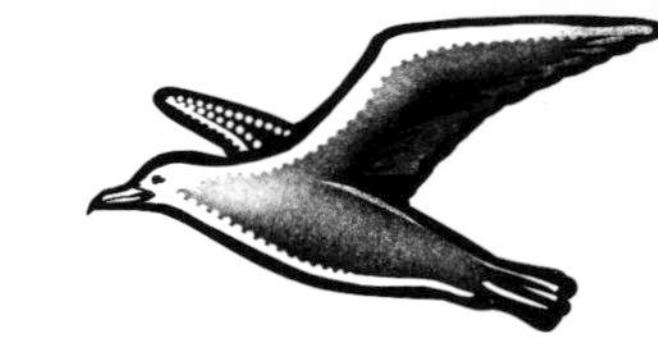

STRATI DI STORIA

POSSIAMO RICOSTRUIRE LA STORIA DELLA TERRA STUDIANDO QUEL CHE SI NASCONDE SOTTO I NOSTRI PIEDI.

Dai principali eventi climatici alla vita dei dinosauri, gli strati di roccia ci raccontano l'evoluzione del pianeta.

COME RICONOSCERE LE ROCCE

In base alla loro formazione, si distinguono tre principali categorie di rocce: ignee, metamorfiche e sedimentarie.

Le **rocce ignee** si formano dal raffreddamento e dalla solidificazione della lava o del magma, in seguito a un'attività vulcanica. Sono rocce molto dure e difficili da rompere, spesso di colore scuro. Alcune, come ad esempio la pomice, presentano una tessitura porosa, creata dall'uscita di gas durante il raffreddamento della lava.

Le **rocce metamorfiche** derivano dalla trasformazione di altri tipi di rocce, deformate dal calore e dalla pressione negli strati profondi della Terra. Talvolta, tale trasformazione produce caratteristiche molto attraenti dal punto di vista estetico. Il marmo è un nobile esempio di roccia metamorfica.

Le **rocce sedimentarie** si creano dall'accumulo dei **sedimenti**, ovvero di piccoli frammenti di roccia e **materia organica** disgregati dall'**erosione**. Quando i sedimenti si compattano, la pressione aumenta e si forma la roccia sedimentaria, ad esempio il calcare. Spesso presentano un aspetto stratificato, e può capitare che parti di materia organica, come conchiglie e ossa, rimangano intrappolate tra gli strati e siano preservate come **fossili**.

LA FORMAZIONE DEI FOSSILI

I fossili si trovano negli strati delle rocce sedimentarie. Affinché un fossile si crei, i sedimenti devono depositarsi dentro e intorno a un animale morto o a una pianta (**materia organica**). Tale processo si verifica nell'arco di migliaia o milioni di anni in ambienti di acque calme, come un tratto di mare poco profondo, i laghi e i fiumi.

Le parti molli della materia organica ricoperta dai sedimenti si decompongono rapidamente, mentre le parti più dure, come le ossa e le conchiglie, hanno il tempo di fossilizzarsi.

Nelle giuste condizioni, la materia organica può addirittura trasformarsi in roccia, in virtù di un processo chiamato **pietrificazione**. Le piccole fessure e cavità dell'elemento intrappolato vengono riempite dai minerali presenti nell'acqua, che con il tempo sostituiscono le parti della materia organica. È così che si viene a formare un magnifico calco dell'organismo originario!

UN VIAGGIO NEL TEMPO

Gli strati della crosta terrestre costituiscono una sorta di linea del tempo. Di solito, più lo strato di roccia è profondo, più è antico. Bisogna però considerare che le rocce subiscono spesso deformazioni, spostamenti e processi geologici quali terremoti ed erosioni.

La scala dei tempi geologici (o scala cronostratigrafica) è suddivisa in periodi, ognuno dei quali si estende per milioni di anni. La fine di ogni periodo è segnata da un cambiamento significativo nel clima e/o nell'ambiente della Terra, causa di un'**estinzione** di massa e di un radicale mutamento nelle tipologie di animali e di piante destinate a comparire nel periodo successivo.

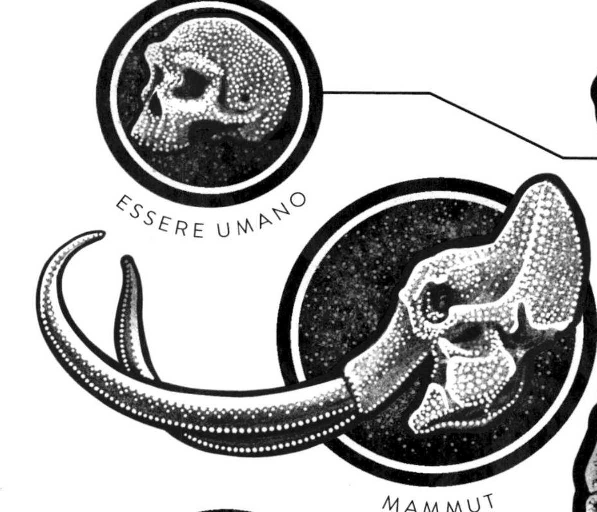

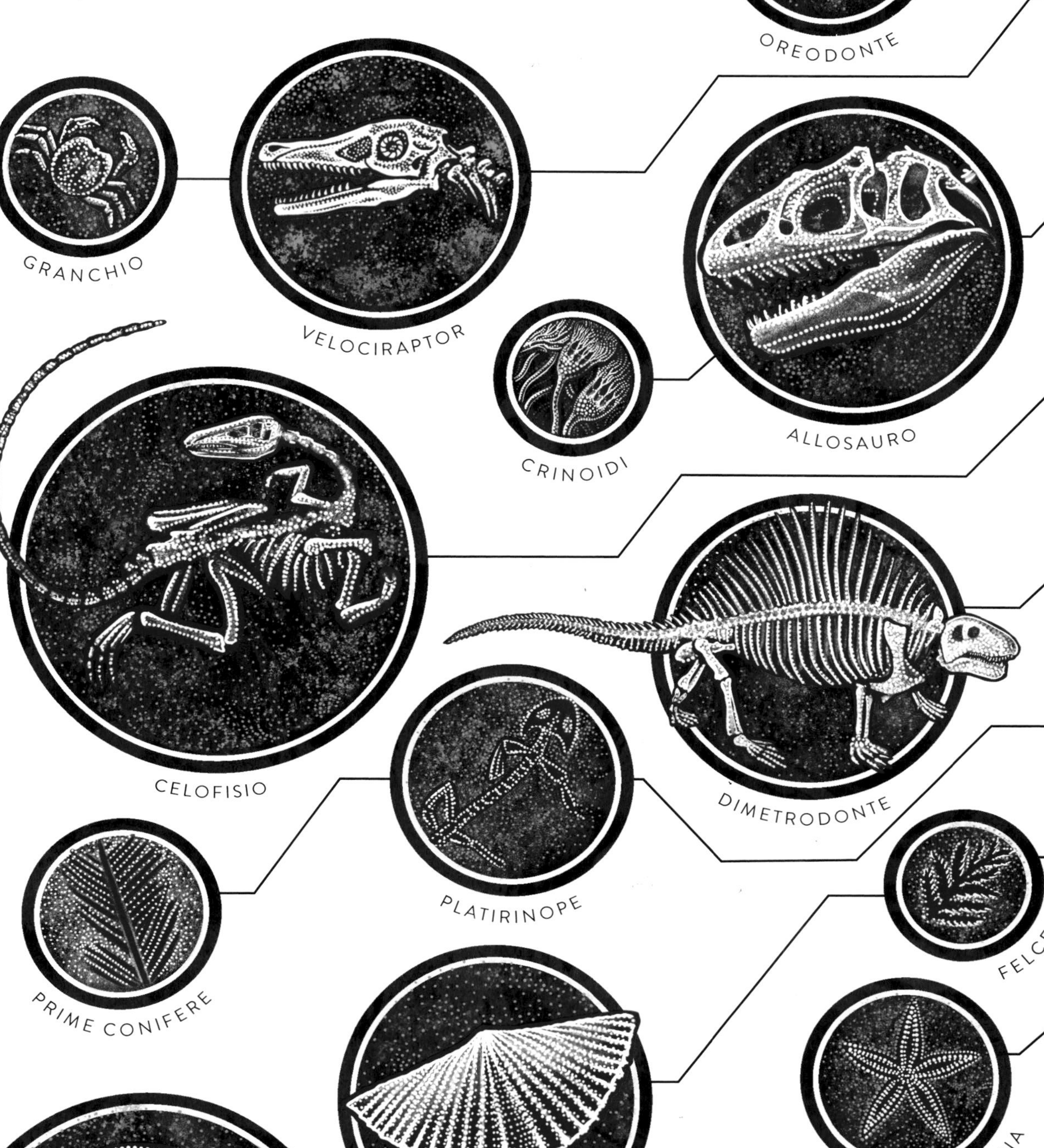

QUATERNARIO
oggi – 2,5 milioni di anni fa

NEOGENE
2,5-23 milioni di anni fa

PALEOGENE
23-66 milioni di anni fa

CRETACEO
66-145,5 milioni di anni fa

GIURASSICO
145,5-201 milioni di anni fa

TRIASSICO
201-251 milioni di anni fa

PERMIANO
251-298 milioni di anni fa

CARBONIFERO
298-358 milioni di anni fa

DEVONIANO
358-419 milioni di anni fa

SILURIANO
419-443 milioni di anni fa

ORDOVICIANO
443-485 milioni di anni fa

CAMBRIANO
485-541 milioni di anni fa

PRECAMBRIANO
541-4,6 miliardi di anni fa

LA COSTRUZIONE DELLE MONTAGNE

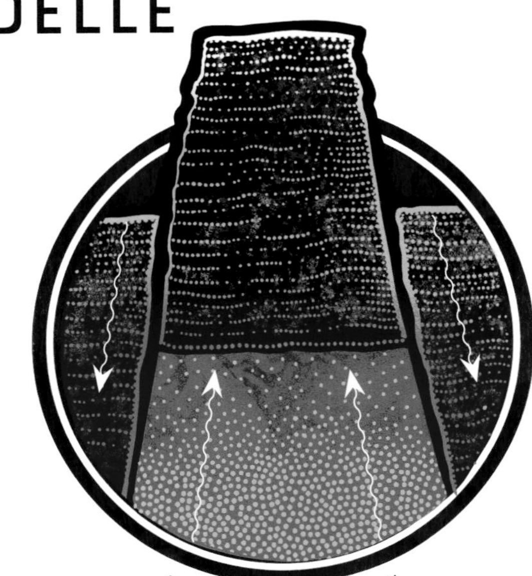

RILIEVO A BLOCCHI

MAESTOSE, EMOZIONANTI, AVVENTUROSE,
le montagne si ergono ovunque nel mondo.
Ma come si sono formate?

CATENA MONTUOSA A PIEGHE

COLLISIONE TRA PLACCHE

Le **catene montuose a pieghe** sono la tipologia più comune di montagne. Si formano lì dove due placche tettoniche si scontrano e si spingono l'una contro l'altra, deformando la crosta terrestre in pieghe con la forte pressione che si viene a creare. L'Himalaya e le Alpi sono perfetti esempi di questo tipo di catene montuose.

FRATTURAZIONE DELLA TERRA

I **rilievi a blocchi**, o a pilastri e fosse (meglio noti come sistemi Horst e Graben), si formano quando porzioni della crosta terrestre, chiamate blocchi, vengono separate e rialzate o ribassate da una faglia. Le **faglie** sono delle lunghe fratture o addirittura i margini che delimitano le placche tettoniche. L'Harz in Germania è un esempio di catena a blocchi.

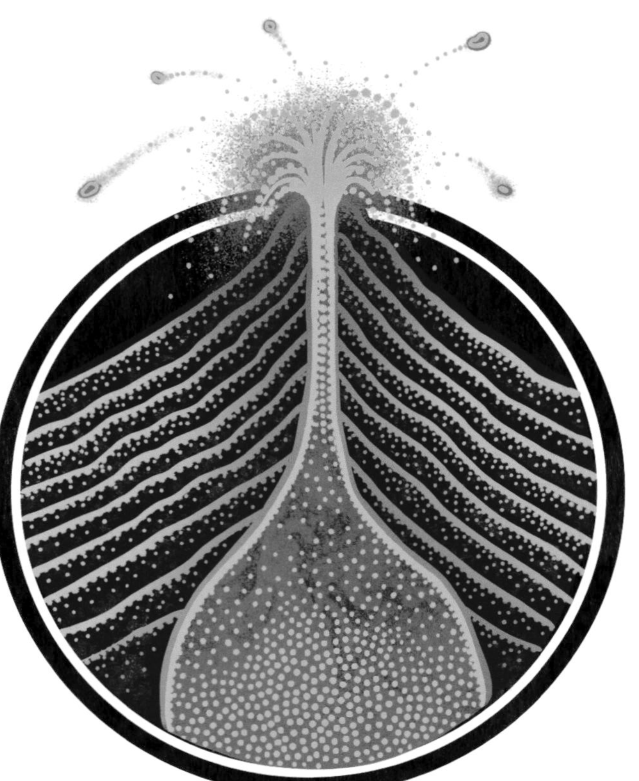

EDIFICIO VULCANICO

DOMO VULCANICO

RISALITA DEL MAGMA

I **domi vulcanici** (o duomi) si formano dalla risalita del magma, che spinge il terreno verso l'alto per poi raffreddarsi e formare roccia ignea. Gli **edifici vulcanici** si creano invece dall'accumulo dei materiali emessi dalle proprie eruzioni e possono essere attivi, quiescenti o estinti. Tra i più celebri vulcani attivi vi è il monte Fuji in Giappone.

SCOLPITE DAGLI ELEMENTI NATURALI

Le montagne possono infine essere modellate dal contesto ambientale. Un **altopiano**, noto anche con il termine francese *plateau*, è un'area pianeggiante che può venire "incisa" dall'erosione di profonde valli laterali, che finiscono per plasmare un paesaggio montano. Le Blue Mountains australiane sono un esempio di altopiano.

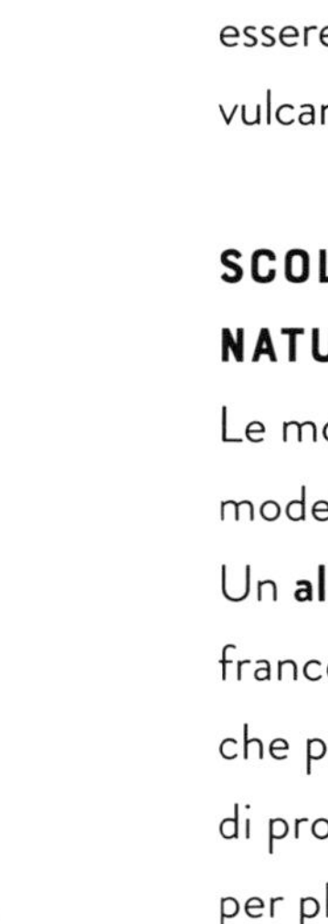

ALTOPIANI

LEGENDA

1. Il MONTE EVEREST, la montagna più alta del mondo, misura circa 8849 metri sul livello del mare.
2. TENZING NORGAY e **3.** EDMUND HILLARY, un alpinista sherpa del Nepal e un alpinista della Nuova Zelanda, sono i primi ad aver raggiunto la cima dell'Everest, nel 1953. **4.** Lo STAMBECCO HIMALAYANO, un animale nativo dell'Himalaya, è in grado di inerpicarsi su pareti estremamente ripide grazie ai suoi zoccoli prensili.

I TERREMOTI

AVVERTI UNA SCOSSA IMPROVVISA. TUTTO TREMA. TI SEMBRA DI ESSERE IN ALTO MARE, MA SEI A TERRA.
Cosa sta succedendo? Ogni 30 secondi, da qualche parte nel mondo si verifica un terremoto. Il più delle volte sono appena percepibili o passano del tutto inosservati, ma i più forti possono causare ingenti danni e distruzioni.

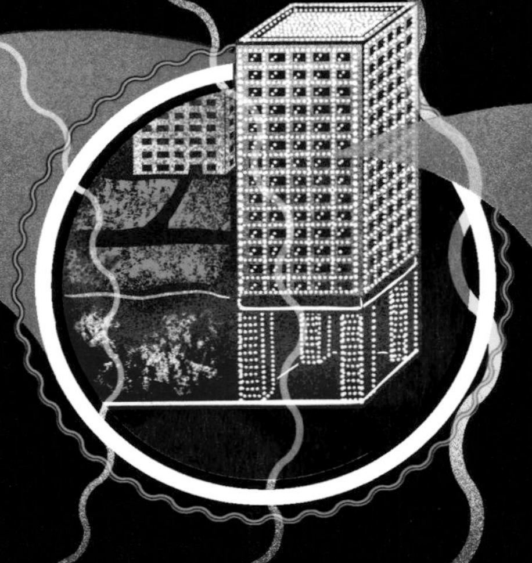

QUAL È LA CAUSA DI UN TERREMOTO?

Le placche tettoniche sono in continuo movimento, seppure a un ritmo estremamente lento. Talvolta però rimangono bloccate a causa della **frizione**. Immagina che le tue mani siano delle placche tettoniche. Prova a unire i palmi con forza e poi a farli scivolare l'uno sull'altro: noterai che tendono a restare appiccicati e a muoversi a scatti. Anche le placche tettoniche presentano questo moto discontinuo nel momento in cui superano la forza di frizione, provocando un terremoto.

PREVISIONI E MISURE DI SICUREZZA

Di solito è relativamente facile prevedere dove avranno luogo i terremoti, visto che si verificano in prossimità delle faglie. Il difficile è sapere quando si verificheranno e quanto saranno forti. Nei Paesi a maggior rischio sismico, si adottano vari accorgimenti per ridurre i danni. Per esempio, vengono svolte regolarmente delle esercitazioni per imparare come comportarsi in caso di pericolo (nascondendosi sotto un tavolo per proteggersi dalla caduta dei detriti e così via) e molti edifici vengono progettati con tecnologie che permettono di assorbire l'urto e assecondare il movimento del terreno (fondamenta in gomma, telai in acciaio...).

ONDE GIGANTI

Numerosi terremoti si verificano nelle profondità del mare e i più potenti possono scatenare il rapido spostamento di un'enorme massa d'acqua, dando vita a una catena di onde gigantesche, lo **tsunami**. Questo fenomeno, detto pure maremoto, può essere assai distruttivo e causare gravi danni nel momento in cui raggiunge e inonda la terraferma.

Gli tsunami si muovono velocemente ma talvolta possono essere previsti alcune ore prima che colpiscano la costa, qualora venga identificato un terremoto in alto mare. Circa l'80% dei maremoti si origina da una zona dell'oceano Pacifico, detta Cintura di Fuoco. Il Centro d'allerta tsunami del Pacifico monitora i terremoti in quell'area, prevedendo gli tsunami e contribuendo così a salvare vite umane.

LEGENDA

1. PLACCA TETTONICA NORDAMERICANA **2.** PLACCA TETTONICA EUROASIATICA **3.** DORSALE MEDIO ATLANTICA

Le ***rift valleys*** (in italiano, fosse tettoniche) sono enormi fratture sulla superficie della crosta terrestre che si creano quando due placche si allontanano l'una dall'altra. Attorno a questi margini di placca, i terremoti sono molto comuni. La *rift valley* di Thingvellir in Islanda è l'unico posto al mondo dove puoi camminare tra due placche tettoniche continentali in reciproco allontanamento! Da un lato si estende la placca tettonica nordamericana e dall'altro quella euroasiatica, che si muovono al ritmo di circa uno o due centimetri all'anno. In Islanda i terremoti sono all'ordine del giorno per via del moto di queste placche, ma generalmente si tratta di piccoli tremori appena percepibili.

I GEYSER E LE SORGENTI CALDE

UNA FOLLA CIRCONDA GUARDINGA UNA POZZANGHERA FANGOSA, tenuta a distanza di sicurezza da una corda. Un misterioso odore di uova marce aleggia nell'aria. Tutti fissano attenti la pozza. Quand'ecco che all'improvviso una fontana di acqua calda e vapore erutta. La folla esulta entusiasta!

OGNI GEYSER VA AL SUO RITMO

I **geyser** sono getti naturali di acqua calda e vapore che si trovano nelle aree di attività vulcanica. Tendono a eruttare con regolarità, ma ognuno conta un differente intervallo tra le eruzioni.

L'Old Faithful nel Parco nazionale di Yellowstone, negli Stati Uniti d'America, erutta una volta ogni 35-120 minuti e il suo getto può raggiungere i 56 metri di altezza!

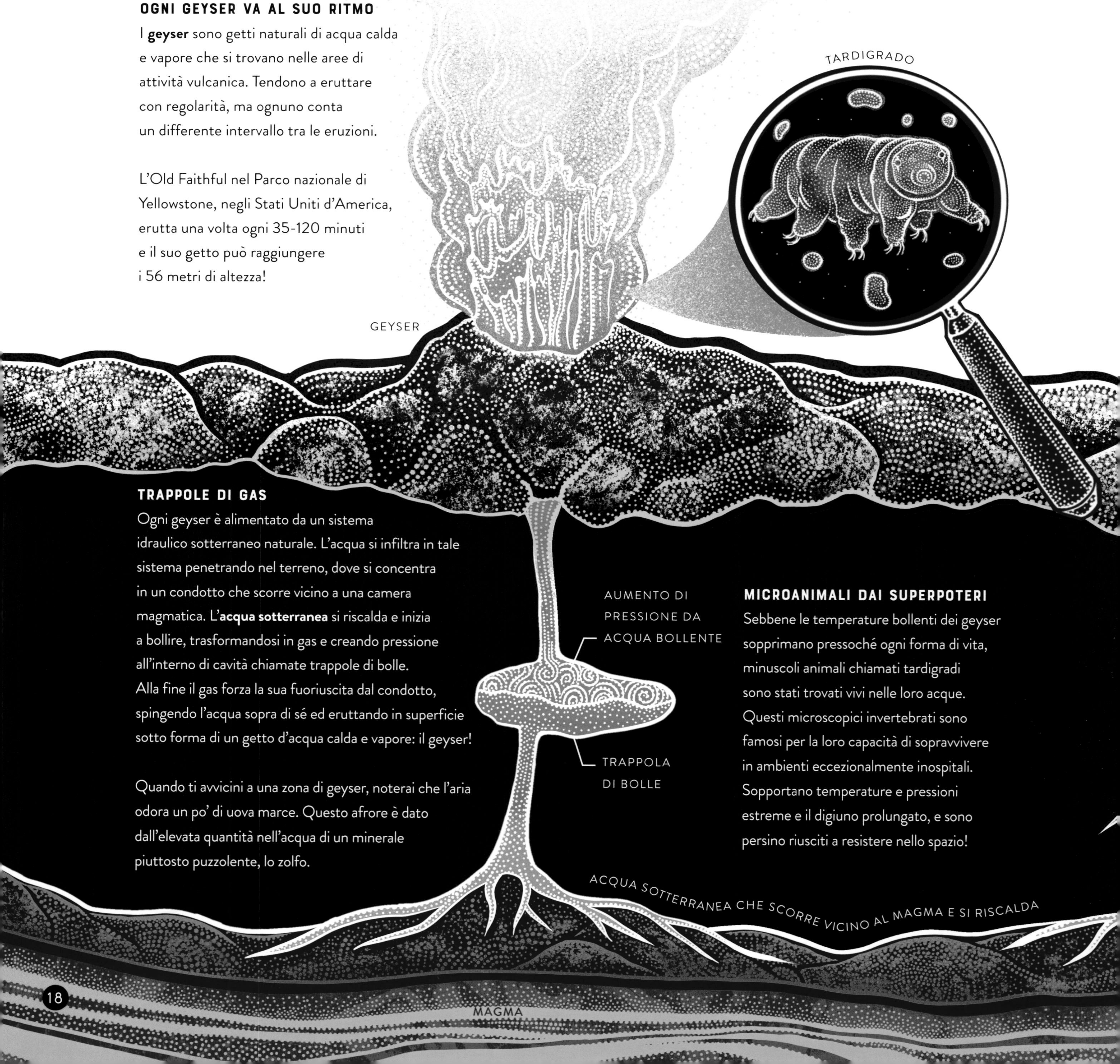

TARDIGRADO

GEYSER

TRAPPOLE DI GAS

Ogni geyser è alimentato da un sistema idraulico sotterraneo naturale. L'acqua si infiltra in tale sistema penetrando nel terreno, dove si concentra in un condotto che scorre vicino a una camera magmatica. L'**acqua sotterranea** si riscalda e inizia a bollire, trasformandosi in gas e creando pressione all'interno di cavità chiamate trappole di bolle. Alla fine il gas forza la sua fuoriuscita dal condotto, spingendo l'acqua sopra di sé ed eruttando in superficie sotto forma di un getto d'acqua calda e vapore: il geyser!

Quando ti avvicini a una zona di geyser, noterai che l'aria odora un po' di uova marce. Questo afrore è dato dall'elevata quantità nell'acqua di un minerale piuttosto puzzolente, lo zolfo.

AUMENTO DI PRESSIONE DA ACQUA BOLLENTE

TRAPPOLA DI BOLLE

MICROANIMALI DAI SUPERPOTERI

Sebbene le temperature bollenti dei geyser sopprimano pressoché ogni forma di vita, minuscoli animali chiamati tardigradi sono stati trovati vivi nelle loro acque. Questi microscopici invertebrati sono famosi per la loro capacità di sopravvivere in ambienti eccezionalmente inospitali. Sopportano temperature e pressioni estreme e il digiuno prolungato, e sono persino riusciti a resistere nello spazio!

ACQUA SOTTERRANEA CHE SCORRE VICINO AL MAGMA E SI RISCALDA

MAGMA

BAGNI RILASSANTI...

Tutti i geyser sono **sorgenti calde**, ma non tutte le sorgenti calde sono geyser. Alcune si presentano come pozze di acqua calda e si formano in maniera simile ai geyser, lì dove l'acqua sotterranea viene riscaldata dalla vicinanza con il magma. In questo caso però la temperatura dell'acqua sale più lentamente, le trappole di bolle non si formano e l'esplosività risulta quindi ridotta. In tutto il mondo, le sorgenti calde sono sempre state sfruttate per dei bagni rilassanti.

... ANCHE PER LE SCIMMIE

Nel Parco nazionale di Jōshin'etsu-kōgen, in Giappone, i macachi delle nevi amano rilassarsi nella pozza di una sorgente calda costruita apposta per loro. Si racconta che negli anni Sessanta abbiano visto alcuni umani bagnarsi nelle acque calde e si siano convinti che fosse un ottimo modo per combattere il rigido clima del loro ecosistema. Da allora, generazioni di scimmie si sono godute il tepore di quelle acque!

LE GROTTE E I CRISTALLI

CIAO... CIAOO... CIAOOO... LA TUA VOCE RIMBALZA SULLE PARETI DELLA GROTTA.

Spuntoni aguzzi pendono dal soffitto, altri s'innalzano da terra. La luce delle torce fa brillare i cristalli.

LA FORMAZIONE DI UNA GROTTA

La gran parte delle grotte si forma quando l'acqua piovana, che è leggermente acida, penetra nel suolo e dissolve sezioni di roccia tenera, ad esempio il calcare. Così come lo zucchero si scioglie nel tè, i minerali della roccia si combinano con l'acqua in una miscela e scorrono via. Questo processo si chiama **degradazione meteorica** e le grotte formatesi in questo modo vengono dette **grotte carsiche**.

Le **grotte marine** si formano sulle scogliere in seguito all'azione erosiva delle onde che si infrangono contro la roccia.

Quando la lava scorre su un vulcano, la superficie esterna inizia a raffreddarsi e a solidificare formando una crosta, mentre al di sotto continua a scorrere lava rovente. Al termine della colata rimane una grotta a forma di tunnel, detta **tubo di lava**.

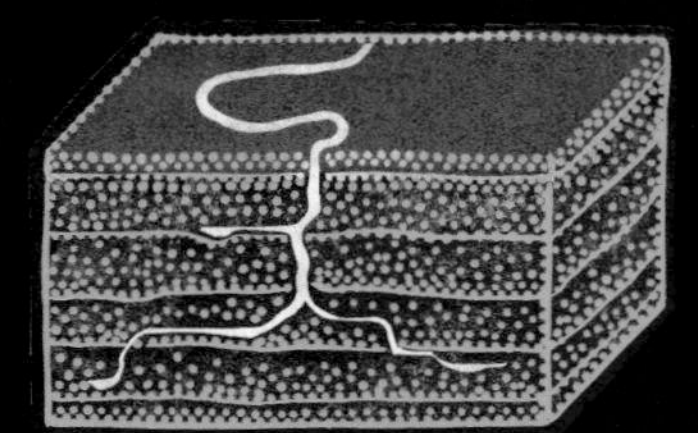

1. L'ACQUA SI INFILTRA NEL TERRENO

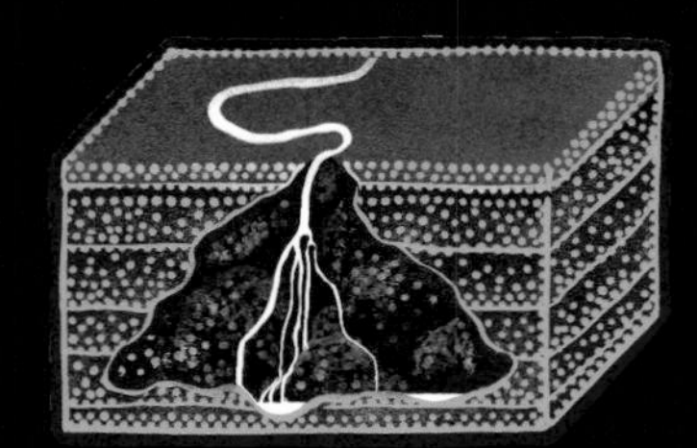

2. L'ACQUA DISSOLVE LA ROCCIA, FORMANDO UNA GROTTA

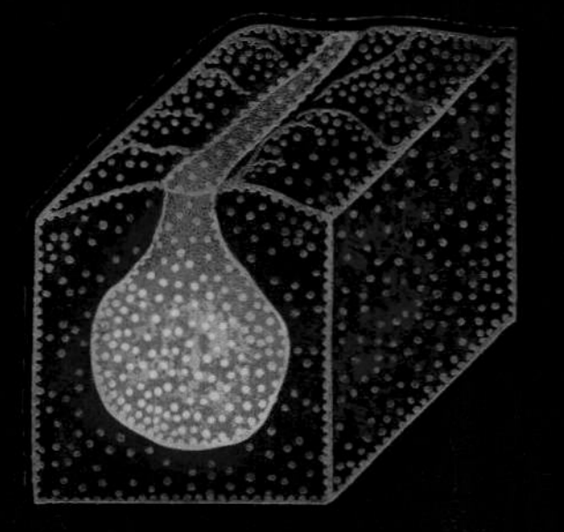

1. LA LAVA SCORRE MENTRE SOLIDIFICA IN SUPERFICIE

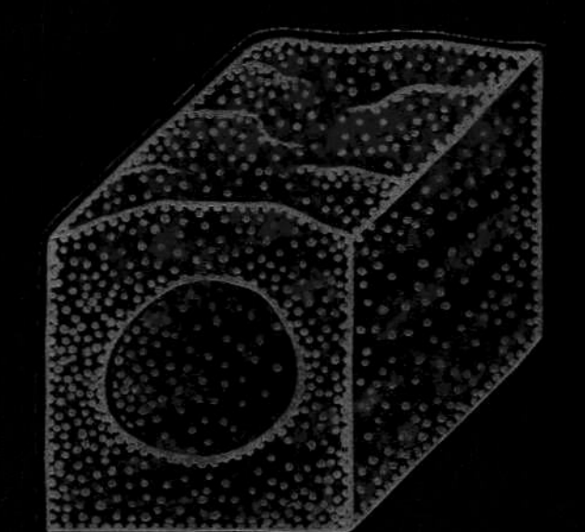

2. LA LAVA CONTINUA A SCORRERE, LASCIANDO UN TUBO DI LAVA

STALATTITE

STALAGMITE

UN TUFFO NEL BUIO

In una grotta carsica, l'acqua contenente minerali cola lentamente dal soffitto, lasciando dietro di sé, o depositando, minuscoli frammenti di minerale a ogni goccia. In questo modo, con il passare del tempo, si iniziano a formare strutture rocciose interessanti, chiamate concrezioni. In una grotta di calcare, ne vedrai alcune appuntite pendere dal soffitto come dei ghiaccioli: le **stalattiti**.
Altri spuntoni invece emergeranno dal pavimento: sono le **stalagmiti**, che si formano dall'accumulo dei minerali trasportati dalle gocce d'acqua cadute a terra.

Un buon metodo per ricordare la differenza tra le une e le altre è pensare che le lettere "gm" contenute nella parola stalagmiti stiano per "Giacciono in Mucchietti", mentre la doppia "t" di stalattiti stia per "Tappezzano il Tetto". Talvolta, crescono talmente tanto da congiungersi a metà strada, formando una **colonna**.

COLONNA

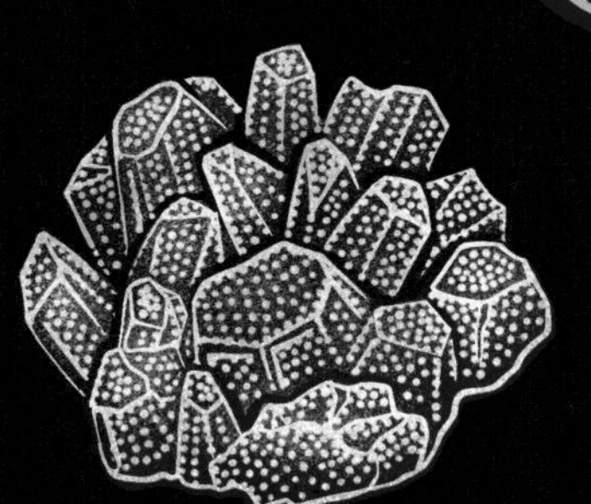

MERAVIGLIE MINERALI

Spesso tra le rocce si annidano i **cristalli**. Nelle grotte, minuscoli elementi costitutivi dei minerali, chiamati **molecole**, vengono trasportati dall'acqua e possono cadere o depositarsi in una fessura della roccia, dove si legano insieme per formare un cristallo. Un'altra tipologia di cristalli si forma quando il magma si raffredda e i minerali al suo interno solidificano.

LA GROTTA DEI CRISTALLI IN MESSICO

Nel 2000, nelle profondità della miniera di Naica, nello Stato di Chihuahua (Messico), è stata scoperta una grotta colma di enormi cristalli di selenite. I cristalli si sono formati quando l'acqua, ricca di gesso, è evaporata lentamente, lasciando cristallizzare il minerale. L'imponenza di queste formazioni dipende dal fatto che il loro sviluppo è cominciato ben 500 000 anni fa!

IL POTERE DEL GHIACCIO

IL GHIACCIO È TRA GLI AGENTI MODELLATORI PIÙ POTENTI DELLA TERRA.

ERE E PERIODI GLACIALI

Nel corso dei suoi 4,5 miliardi di anni, la Terra ha attraversato lunghi periodi in cui le temperature erano più basse rispetto alla media, le famose **ere glaciali**. Tecnicamente, pure oggi ci troviamo in un'era glaciale, iniziata all'incirca 3 milioni di anni fa!

Ciò che comunemente associamo all'idea di era glaciale (temperature gelide e distese di ghiaccio e neve) viene chiamato **periodo glaciale**. L'ultimo periodo glaciale è terminato circa 10 000 anni fa, quando la vita sulla Terra era molto diversa e qua e là scorrazzavano i mammut. È stato allora, nel freddo estremo, che si sono formati i **ghiacciai**.

I FRASTAGLIATI FIORDI DELLA NORVEGIA

UNA MARCIA INARRESTABILE

I ghiacciai sono enormi corpi di ghiaccio presenti nelle parti più fredde del pianeta. Si formano nel corso di centinaia di anni, man mano che gli strati di neve diventano talmente spessi da compattarsi e trasformarsi in ghiaccio sotto il proprio peso.

Muovendosi, il ghiacciaio modella il paesaggio: agisce infatti come un lentissimo fiume che erode il terreno sottostante. Per via della forza di gravità, i ghiacciai si spostano sempre verso valle, anche se solo di pochi centimetri all'anno. Le loro dimensioni e il loro peso provocano l'inarrestabile raschiamento di grandi canali o valli dalla crosta terrestre.

Talvolta l'erosione glaciale determina un profilo particolarmente frastagliato della linea di costa. Ad esempio in Norvegia i ghiacciai hanno creato i fiordi, insenature lunghe e strette circondate da montagne o da ripidissime pareti di roccia.

L'INCREDIBILE FORZA DEL GHIACCIO

I ghiacciai erodono e modellano il paesaggio anche tramite un processo chiamato **crioclastismo**.

Quando l'acqua diventa ghiaccio, occupa uno spazio maggiore rispetto a quando era liquida. Il crioclastismo si presenta nel momento in cui l'acqua congela nelle fratture di una roccia e si espande, generando una forza abbastanza potente da rompere anche la più massiccia delle rocce.

Talvolta questo fenomeno si presenta in modalità rare e interessanti. Ad esempio si possono formare dei "fiori di ghiaccio" quando l'acqua presente nello stelo di una pianta congela e si espande, fuoriuscendo in stupefacenti formazioni di ghiaccio simili a petali.

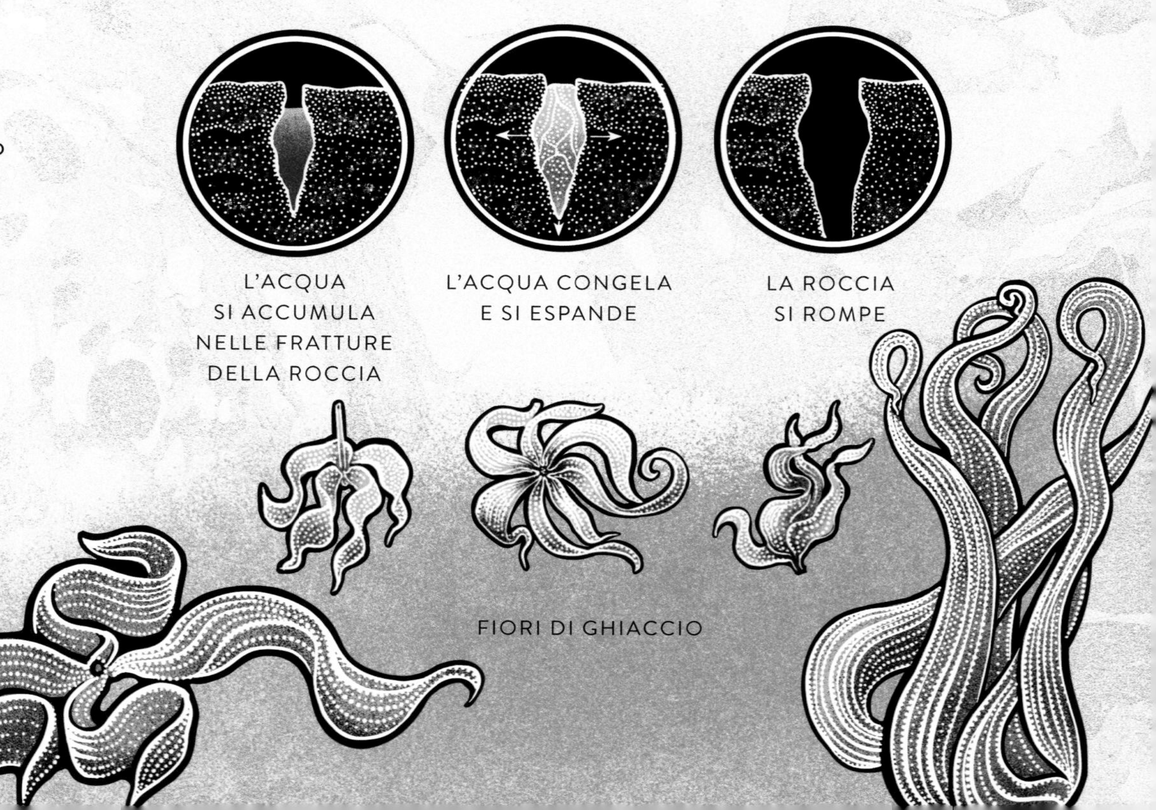

FIORI DI GHIACCIO

LEGENDA

GLACIER BAY, ALASKA

1. GHIACCIAIO VALLIVO **2.** ICEBERG, massa di ghiaccio staccatasi dal ghiacciaio. **3.** FOCA COMUNE

Oggi ci troviamo in un **periodo interglaciale**, durante il quale i ghiacciai si ritirano o si sciolgono. Tuttavia, il **cambiamento climatico indotto dall'essere umano** sta accelerando il ritmo di tale scioglimento. Un fenomeno che causerà l'innalzamento del livello del mare e porterà a eventi climatici più estremi.

MERAVIGLIE MARINE

SEI SUL PONTE DI UNA NAVE E OSSERVI L'ORIZZONTE.

Il mare è vasto, non c'è alcuna terra in vista. Guardi in basso e l'acqua sembra così profonda, buia e misteriosa... Sapevi che l'acqua copre all'incirca il 70% della superficie terrestre?

LA LUNA E LE MAREE

Durante una giornata in spiaggia avrai forse notato che il mare avanza e arretra con il trascorrere delle ore, costringendoti a spostare borse e asciugamani per evitare che si inzuppino. Questo fenomeno è conosciuto come **ciclo delle maree** ed è causato dall'attrazione gravitazionale esercitata dalla Luna sulla massa acquea. Di conseguenza, sulla faccia della Terra rivolta verso la Luna il mare si solleva leggermente e forma un rigonfiamento; la stessa cosa avviene agli antipodi, in virtù della forza centrifuga innescata dalla rotazione terrestre. Man mano che la Terra ruota, le aree di massa d'acqua attratte dalla Luna variano e si ristabilizzano ciclicamente. In certe zone del pianeta le maree sono particolarmente intense. Ad esempio il Mont-Saint-Michel, nel Nord-Ovest della Francia, due volte al giorno viene circondato dall'acqua fino a divenire un pittoresco isolotto.

MULINELLI VORTICOSI

Talvolta, il movimento delle maree può causare dei gorghi marini, o mulinelli, che sono corpi d'acqua rotanti. Si manifestano quando due correnti d'acqua che procedono in direzioni opposte si scontrano o s'imbattono in un ostacolo che imprime loro un moto a spirale. Un **maelstrom** (termine olandese) è un enorme gorgo marino. Il più delle volte i mulinelli non sono molto forti, ma alcuni possono formare una corrente discendente o un vortice; in questo caso tutto viene risucchiato verso il basso, come quando si toglie il tappo della vasca da bagno e l'acqua scende velocemente giù. I maelstrom con una forte corrente discendente possono essere molto pericolosi.

VULCANI E CAMINI SOTTOMARINI

I vulcani non si trovano solo sulla terraferma. Esistono anche **vulcani sottomarini** che causano eruzioni sui fondali. In questi casi, la lava può creare nuove isole, come ad esempio è avvenuto per le Hawaii, le Canarie e le Galapagos. Intorno ai vulcani sottomarini tendono a formarsi i cosiddetti **camini idrotermali**, che si creano quando l'acqua scorre all'interno delle fratture nel fondale marino avvicinandosi al magma. Ciò provoca il riscaldamento dell'acqua, che risale dal fondale. Dai camini spesso sbuffano pennacchi di fumo bianco o nero ricchi di minerali utilissimi per gli organismi viventi che abitano le buie profondità degli oceani. È possibile che i camini idrotermali siano il luogo dove ha iniziato a evolversi la vita sulla Terra!

LEGENDA

ORGANISMI VIVENTI TROVATI NEI CAMINI IDROTERMALI DEL VULCANO NW EIFUKU

1. VERMI TUBO GIGANTI **2.** PESCE ZOARCIDE **3.** ALVINELLA POMPEJANA **4.** COZZE
5. GAMBERETTO **6.** POLPO VULCANOCTOPUS **7.** GRANCHIO GALATEA

I camini idrotermali possono raggiungere una temperatura di 400°C, e si trovano talmente in profondità da non ricevere mai la luce del Sole. Condizioni proibitive, alle quali però alcuni esseri viventi sono riusciti a adattarsi. Certe specie marine sono presenti esclusivamente nel singolo camino in cui vivono.

LUCI NEL CIELO

È UNA LIMPIDA NOTTE NORVEGESE E IL CIELO È ATTRAVERSATO DA SINUOSE LUCI VERDI.
Mentre osservi, noti anche delle sfumature rosse, blu e viola prendere parte alla danza.
Che spettacolo magico!

Questo fenomeno viene chiamato **aurora polare**, poiché si osserva perlopiù in prossimità del Polo Nord e del Polo Sud.

È il **vento solare**, ovvero un flusso di **particelle cariche** che arriva direttamente dal Sole, ad accendere queste splendide luci. Ma perché le vediamo solo vicino ai Poli? Ciò accade perché la Terra è un magnete gigante.

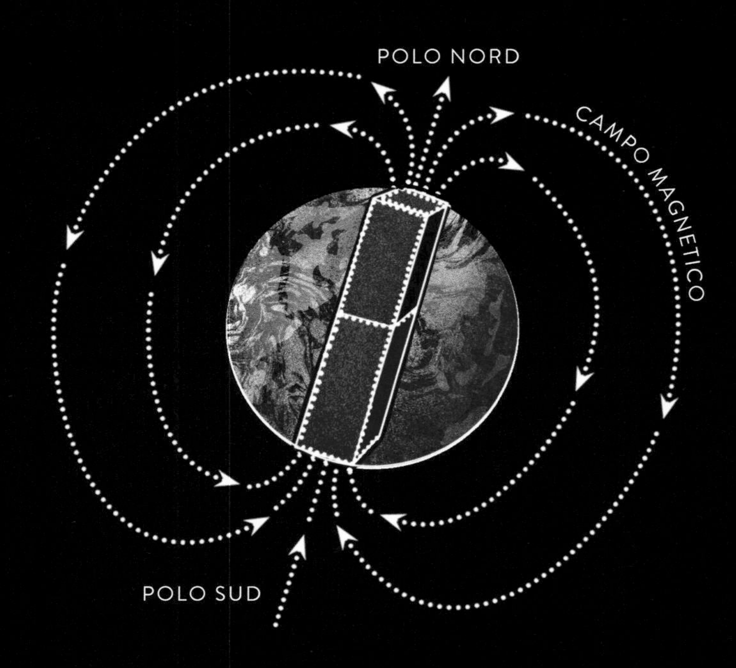

UNO SCHERMO MAGNETICO

Per via del suo nucleo solido metallico, la Terra possiede un **campo magnetico**, come potrai rilevare facilmente guardando l'ago di una bussola che si allinea lungo l'asse nord-sud.

Il campo magnetico terrestre agisce come un ombrello che protegge la nostra atmosfera dalla dannosa energia dello spazio (come il vento solare). Ma in corrispondenza dei poli una parte del vento solare riesce ad accedere nell'atmosfera e le particelle cariche si scontrano con le particelle di gas dell'atmosfera stessa, creando gli spettacoli luminosi dell'aurora.

I venti solari particolarmente forti possono a volte interferire con i nostri sistemi tecnologici (ad esempio con la rete internet). Assai di rado possono causare una **tempesta solare** (o geomagnetica), producendo aurore visibili in tutto il mondo!

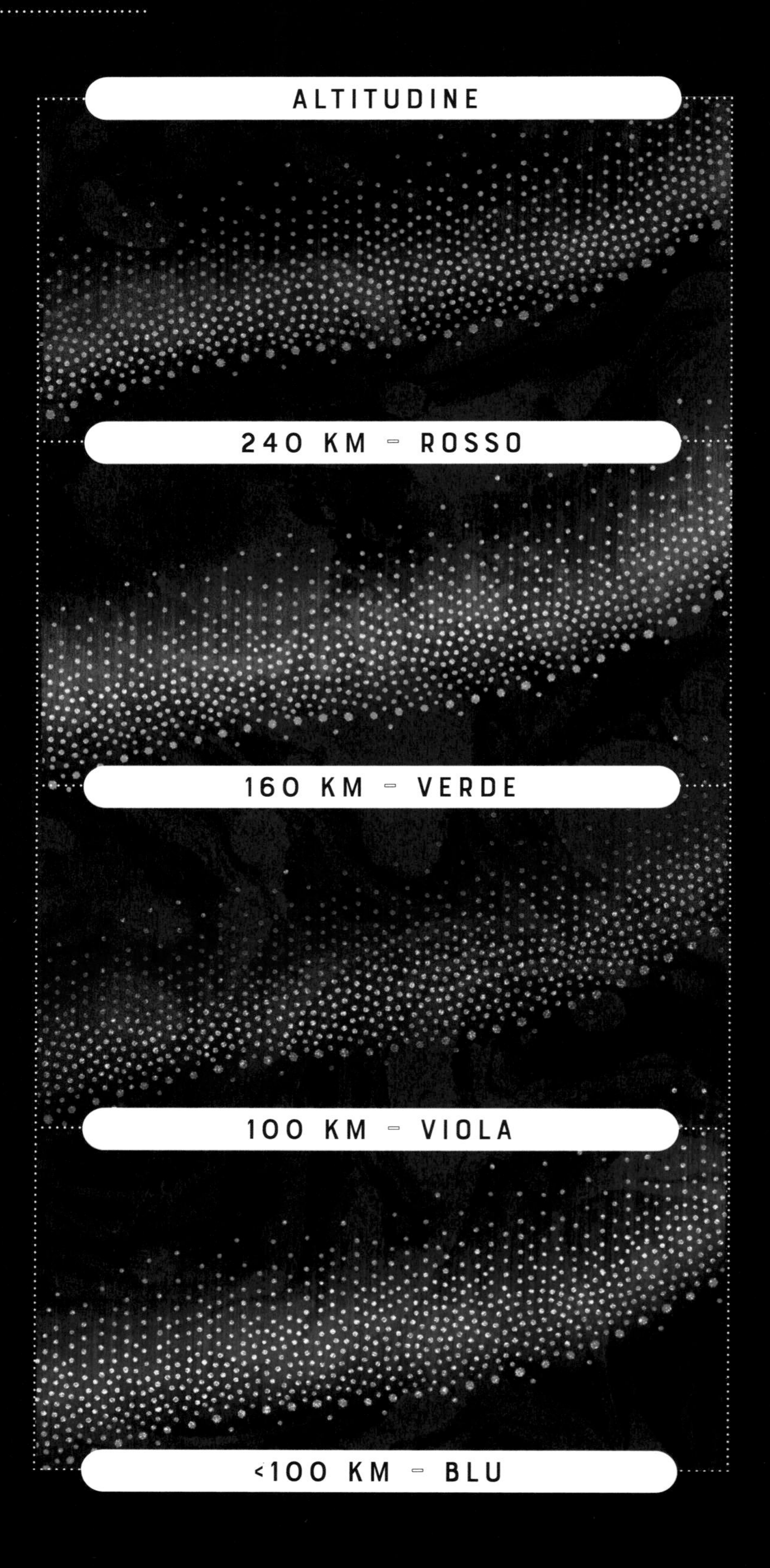

TUTTI I COLORI DEL VENTO SOLARE

Il colore più comune delle aurore è il verde, ma lo scontro fra il vento solare e i gas presenti alle varie quote dell'atmosfera produce anche scie di altri colori, come il rosso, il viola e il blu. Più è forte il vento solare, più risulta intenso e variopinto lo spettacolo di luci.

LEGENDA

1. IL SOLE **2.** VENTO SOLARE **3.** IL CAMPO MAGNETICO TERRESTRE AGISCE COME UN OMBRELLO CONTRO IL VENTO SOLARE **4.** I POLI DELLA TERRA SONO PUNTI DEBOLI CHE PERMETTONO L'ACCESSO AL VENTO SOLARE. QUESTO, INTERAGENDO CON L'ATMOSFERA, CREA LE AURORE **5.** LA TERRA

In questa scena dalla Norvegia si vede l'aurora boreale illuminare il cielo. Le aurore polari che si verificano nell'emisfero nord della Terra si chiamano *boreali*. Quelle dell'emisfero sud, invece, si dicono *australi*.

OSSERVAZIONE DELLE NUVOLE

MORBIDI BATUFFOLI DI OVATTA FLUTTUANO IN CIELO TRASPORTATI DAL VENTO.
Uno assomiglia a un cane, un altro sembra un delfino...
L'aspetto delle nuvole deriva da una serie di fattori differenti.

LA FORMAZIONE DELLE NUVOLE

Le nuvole sono parte del **ciclo dell'acqua**. Da circa 3,8 miliardi di anni, infatti, tutta l'acqua presente sulla Terra viaggia in un ciclo continuo, dal suolo al cielo e di nuovo al suolo. Questo significa che l'acqua con cui ti disseti oggi potrebbe essere stata, nel remoto passato, la pipì di un dinosauro! Per fortuna, questo ciclo agisce anche come uno straordinario sistema di **purificazione** naturale, che a ogni passaggio rende l'acqua come nuova.

IL CICLO DELL'ACQUA

1. EVAPORAZIONE
Riscaldandosi sotto i raggi del Sole, l'acqua evapora e si trasforma in **vapore acqueo**, che da mari, laghi e fiumi sale pian piano fino al cielo.

2. CONDENSAZIONE
Nel salire, il vapore acqueo si raffredda nuovamente, trasformandosi in minuscole goccioline d'acqua attraverso un processo chiamato condensazione. Le goccioline sono talmente piccole e leggere da fluttuare nell'aria, e la loro unione forma le nuvole. In condizioni più fredde, le gocce congelano in minuscoli cristalli di ghiaccio che fanno apparire le nuvole più sottili.

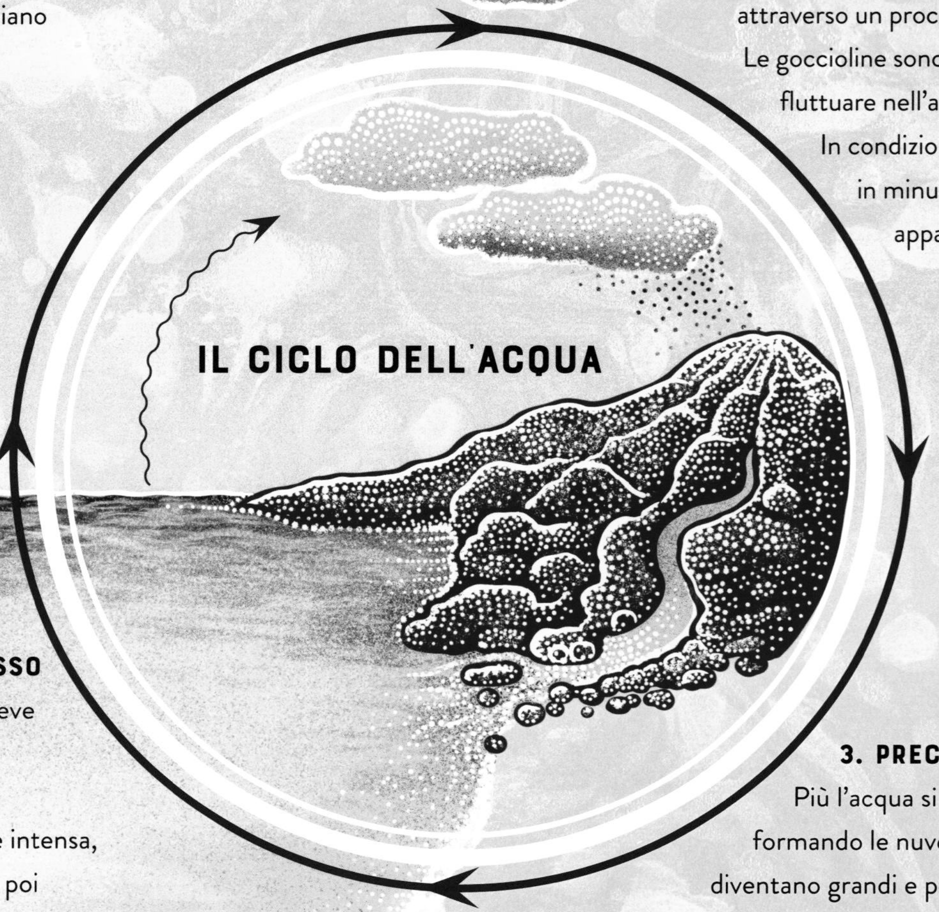

3. PRECIPITAZIONE
Più l'acqua si condensa formando le nuvole, più le gocce diventano grandi e pesanti, fino a precipitare di nuovo al suolo. A seconda della temperatura, la precipitazione assume la forma di pioggia, di neve o di grandine.

4. INFILTRAZIONE E DEFLUSSO
Una parte della pioggia e della neve penetra nel suolo e diventa acqua sotterranea. Quando la precipitazione è particolarmente intensa, defluisce perlopiù sulla terra per poi unirsi ai fiumi, ai laghi e ai mari.

LEGENDA

1. CIRRO **2.** CIRROCUMULO **3.** CIRROSTRATO
4. ALTOSTRATO **5.** ALTOCUMULO **6.** CUMULONEMBO **7.** STRATO
8. NEMBOSTRATO **9.** CUMULO

CLASSIFICARE LE NUVOLE

I nomi delle nuvole derivano da parole latine che descrivono le loro caratteristiche:
Cirrus, “ciuffo”: nuvola alta e sottile
Stratus, “sparso”: nuvola stratificata, piatta e liscia
Cumulus, “cumulo”: nuvola gonfia e soffice
Nimbus, “nube piovosa”: nuvola portatrice di pioggia

CIELI TEMPESTOSI

UN LAMPO IMPROVVISO ILLUMINA IL CIELO FOSCO E NUVOLOSO.
Qualche istante dopo senti il rombo di un tuono. La pioggia comincia a battere intensa fra gli ululati del vento. È scoppiato un temporale!

FULMINI E SAETTE!

I temporali si verificano quando l'aria calda e umida sale e si raffredda rapidamente al contatto con l'alta atmosfera. Il vapore acqueo si condensa più velocemente del solito, creando spesse nuvole temporalesche che determinano pioggia intensa e talvolta grandine.

Il **fulmine** è una scarica elettrica che va dall'atmosfera fino al suolo. Durante un temporale, le goccioline d'acqua e i cristalli di ghiaccio che compongono le nuvole si muovono e si scontrano fra loro, producendo **elettricità statica**. Tale carica elettrostatica si accumula finché non viene scaricata a terra sotto forma di fulmine.

DA FAR RIZZARE I CAPELLI!

Ti sei mai strofinato un palloncino contro i capelli? Provaci, e noterai che l'elettricità statica venutasi a creare li farà diventare tutti ritti. E se mentre sei all'aperto sotto la pioggia ti senti drizzare i peli delle braccia, è segno che un fulmine sta per cadere nelle vicinanze. Corri al coperto! Il **tuono** è il rumore prodotto dall'onda di pressione provocata da un fulmine, il cui passaggio scalda l'aria fino a circa cinque volte la temperatura superficiale del Sole! La luce viaggia più velocemente del suono, e dal tempo che passa fra il lampo e il tuono si può stabilire a quale distanza si è abbattuto il fulmine: meno è, più è vicino.

SISTEMI DI TEMPESTE VORTICOSE

Ti sarà capitato di sentir parlare dell'"occhio del ciclone": un'espressione che indica quell'ambiente stranamente tranquillo situato al centro di una tempesta tropicale. Questo fenomeno si scatena quando l'aria calda e umida risale dai mari tropicali, creando un'area di bassa pressione. Appena l'aria si raffredda e il vapore acqueo si condensa in nuvole, essa viene sospinta di lato dalla nuova aria calda e umida che risale da sotto. È a quel punto che nasce un vortice a spirale di vento forte e pioggia.

QUANDO UNA TEMPESTA DIVENTA UN URAGANO?

Poiché le tempeste tropicali sono causate dall'evaporazione, più un'area è calda e umida, più esse tendono a essere violente. Ciò spiega perché le grandi tempeste siano più comuni nelle aree tropicali. La classificazione viene fatta in base all'intensità dei venti. Quando la velocità dei venti supera i 119 chilometri orari, una tempesta sarà definita **uragano** se si è originata nell'Atlantico settentrionale, nel Pacifico centro-settentrionale o nel Pacifico nord-orientale, **ciclone** se si è originata nell'oceano Indiano o nel Pacifico meridionale, e **tifone** se l'aria calda e umida deriva dal Pacifico nord-occidentale.

TORNADO

I tornado, chiamati anche trombe d'aria, sono colonne d'aria a forma di imbuto che ruotano e congiungono le nuvole temporalesche al suolo. Di solito hanno breve durata ma, ruotando fino a oltre 400 chilometri orari, possono causare gravi danni in quel piccolo lasso di tempo!

I TRUCCHI DELLA LUCE

UNA STRISCIA DI SETTE COLORI SOLCA IL CIELO DOPO LA PIOGGIA. È L'ARCOBALENO!

Un fenomeno tanto quotidiano quanto spettacolare che è frutto di un'illusione ottica.

ILLUSIONI OTTICHE

Gli arcobaleni ci appaiono quando la luce brilla attraverso delle goccioline d'acqua a una specifica angolazione. Questo è il motivo per cui può capitarti di vederne uno nella nebbiolina di una cascata o addirittura nello spruzzo del tubo che usi per innaffiare il giardino! La luce del Sole è una combinazione di tutti i colori, e quando attraversa una goccia d'acqua viene suddivisa in un arcobaleno. Questo fenomeno è causato da un processo chiamato **rifrazione**.

LA DEVIAZIONE DELLA LUCE

Passando da un mezzo all'altro (come l'aria, l'acqua e il ghiaccio), di volta in volta la luce cambia velocità e direzione. La deviazione di tale tragitto è detta rifrazione. Puoi sperimentare questo fenomeno inserendo una matita in un bicchiere pieno d'acqua: la vedrai piegarsi sotto i tuoi occhi!

MIRAGGIO

A volte nel deserto capita di scorgere pozze d'acqua dove vi è solo sabbia rovente. È il fenomeno del miraggio. Potresti vederlo anche tu osservando una strada asfaltata in estate. L'aria vicino al suolo è molto calda ed è sovrastata da aria più fredda. Gli strati d'aria di differenti temperature hanno diverse densità.

Viaggiando attraverso i vari strati, la luce devia a tal punto il proprio corso da agire come uno specchio che riflette il cielo. I nostri occhi seguono però la luce riflessa in linea retta e vedono l'immagine del cielo azzurro spostata sul suolo, scambiandola per acqua luccicante!

MAGIE LUMINOSE

A volte i cristalli di ghiaccio sospesi nel cielo portano la luce a riflettersi e a rifrangersi in modi bellissimi. I cosiddetti pilastri di luce possono ergersi nel cielo a partire da sorgenti luminose di vario tipo. Intorno al Sole possono invece venirsi a creare degli aloni di luce: ad esempio il parelio produce riverberi colorati su entrambi i lati dell'alone.

LA CASCATA DI FUOCO HORSETAIL, NEL PARCO NAZIONALE DI YOSEMITE (USA)

Durante il mese di febbraio, all'ora del tramonto, una cascata chiamata Horsetail ("coda di cavallo" in inglese) prende le sembianze di un'incandescente colata lavica che precipita dalla cima di una parete. Si tratta di un'illusione ottica prodotta dalla luce dorata del Sole calante nel colpire l'acqua con un'angolazione perfetta!

LE AVVENTURE NELLE GEOSCIENZE

FRONTEGGIARE UN LAGO DI LAVA, CATALOGARE FOSSILI IN UN MUSEO...
A prescindere dalla pericolosità del loro lavoro, gli studiosi delle scienze della Terra indagano e spiegano le meraviglie dei fenomeni naturali.

VULCANOLOGI
Osservare da vicino un vulcano attivo non è una cosa da tutti, ma per questi scienziati è il pane quotidiano! I vulcanologi studiano la struttura e le eruzioni dei vulcani, monitorandone l'attività e raccogliendo campioni di rocce e lava.

SISMOLOGI
Questi scienziati studiano la struttura della Terra per capire e tentare di prevedere i terremoti. Monitorano le vibrazioni e i movimenti della crosta terrestre con l'ausilio di avanzate tecnologie e cartografano le faglie in superficie. Sviluppano inoltre dei sistemi preventivi d'allerta per le aree a maggiore intensità sismica.

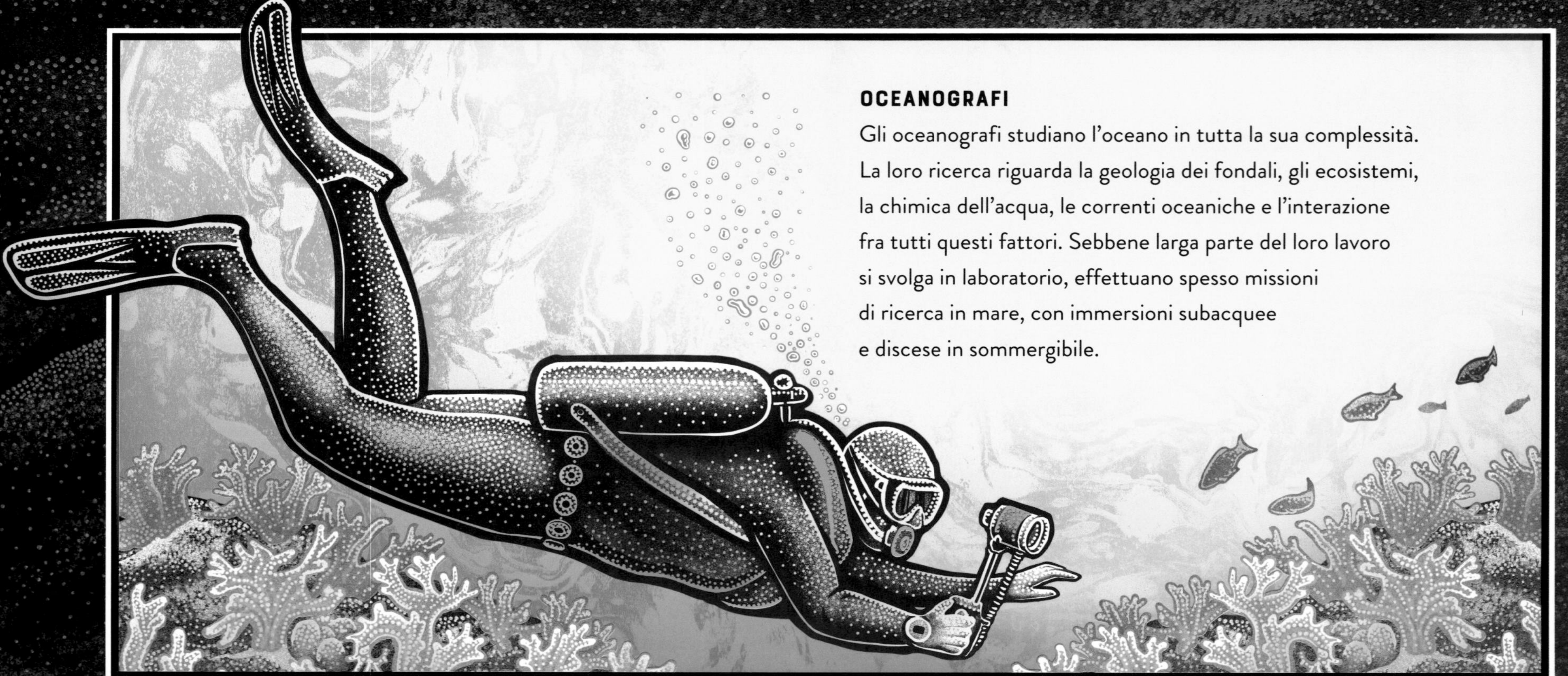

OCEANOGRAFI
Gli oceanografi studiano l'oceano in tutta la sua complessità. La loro ricerca riguarda la geologia dei fondali, gli ecosistemi, la chimica dell'acqua, le correnti oceaniche e l'interazione fra tutti questi fattori. Sebbene larga parte del loro lavoro si svolga in laboratorio, effettuano spesso missioni di ricerca in mare, con immersioni subacquee e discese in sommergibile.

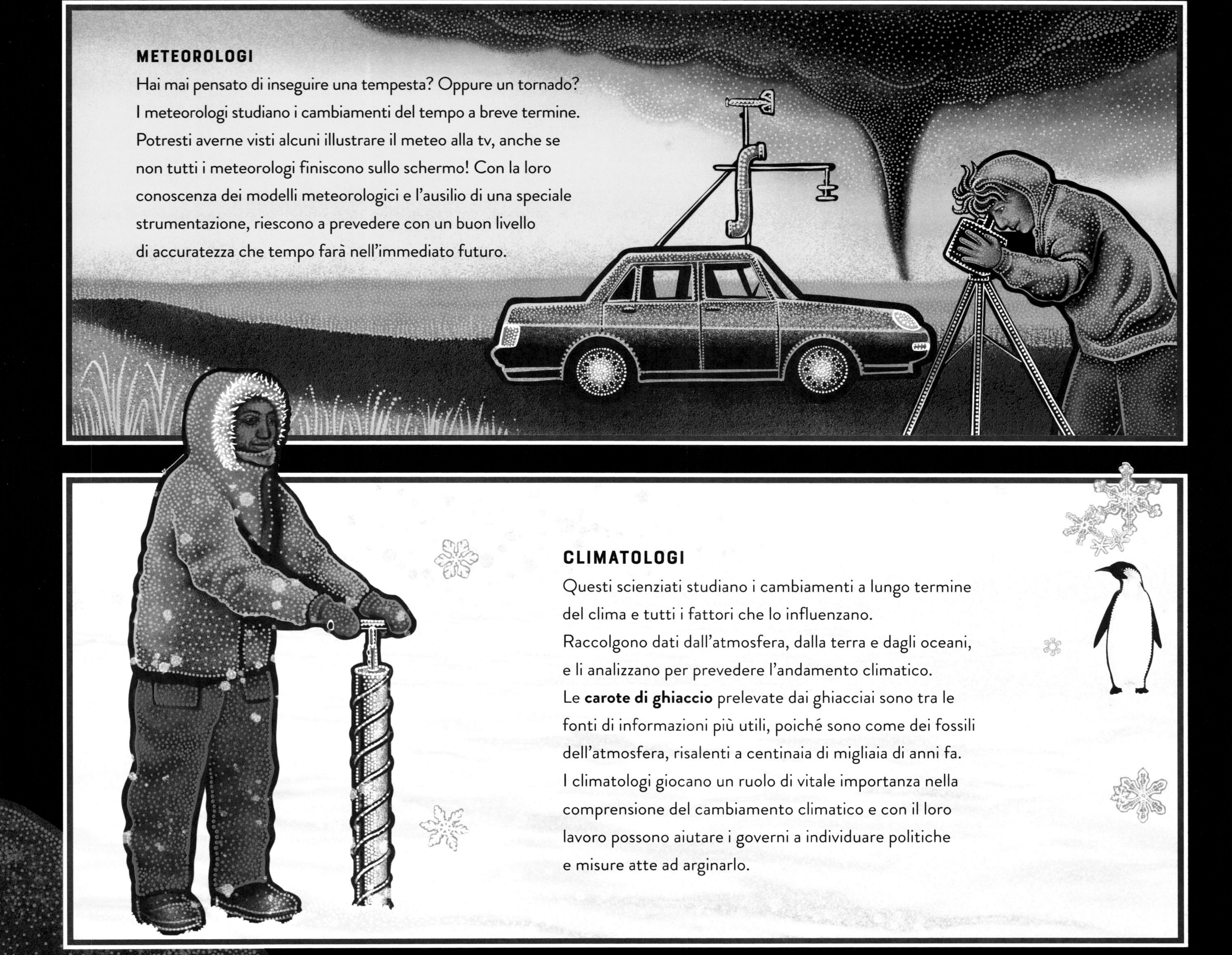

METEOROLOGI

Hai mai pensato di inseguire una tempesta? Oppure un tornado? I meteorologi studiano i cambiamenti del tempo a breve termine. Potresti averne visti alcuni illustrare il meteo alla tv, anche se non tutti i meteorologi finiscono sullo schermo! Con la loro conoscenza dei modelli meteorologici e l'ausilio di una speciale strumentazione, riescono a prevedere con un buon livello di accuratezza che tempo farà nell'immediato futuro.

CLIMATOLOGI

Questi scienziati studiano i cambiamenti a lungo termine del clima e tutti i fattori che lo influenzano. Raccolgono dati dall'atmosfera, dalla terra e dagli oceani, e li analizzano per prevedere l'andamento climatico. Le **carote di ghiaccio** prelevate dai ghiacciai sono tra le fonti di informazioni più utili, poiché sono come dei fossili dell'atmosfera, risalenti a centinaia di migliaia di anni fa. I climatologi giocano un ruolo di vitale importanza nella comprensione del cambiamento climatico e con il loro lavoro possono aiutare i governi a individuare politiche e misure atte ad arginarlo.

PALEONTOLOGI

I paleontologi cercano di ricostruire la storia della Terra attraverso lo studio dei fossili. Passano la gran parte del tempo a raccogliere esemplari lungo le coste, nelle cave e sulle cime delle montagne, estraendoli in particolare dalle rocce sedimentarie.

LE LEGGENDE DELLA TERRA

TI È MAI CAPITATO DI INVENTARE UNA STORIA PRENDENDO ISPIRAZIONE DALLA FORMA DI UNA ROCCIA?

Prima che gli esseri umani si rivolgessero alla scienza per spiegarsi i fenomeni della natura, interpretavano il mondo circostante attraverso storie e leggende.

COSA POSSONO DIRCI QUESTE STORIE?

A volte le antiche leggende fanno riferimento a eventi geologici realmente avvenuti nel corso della Storia, e forniscono a geologi e archeologi preziosi indizi su luoghi o aree di particolare interesse scientifico. Inoltre, lungi dall'essere semplici favoleggiamenti, queste storie racchiudono spesso un profondo significato culturale e spirituale per i popoli che le tramandano, e rappresentano un forte collante con la loro terra.

GLI DÈI DELL'ANTICA GRECIA

Gli antichi Greci credevano che gli eventi naturali e i fenomeni del mondo circostante fossero opera degli dèi.

I terremoti e i tremori erano quindi causati da giganti in lotta imprigionati sottoterra da Zeus, mentre i vulcani si diceva fossero i camini della fucina del dio fabbro Efesto. I rumori metallici prodotti dalle eruzioni vulcaniche venivano infatti scambiati per l'assordante clangore di un'officina.

LA CORSA DELLE DIVINITÀ HAWAIANE

Nella tradizione hawaiana, Pele è una dea del fuoco che abita nel vulcano Kīlauea. Nota per il suo temperamento impetuoso, si racconta che i suoi scatti d'ira provochino terribili eruzioni e che i terremoti nascano al battere dei suoi piedi. È però anche una dea creatrice, poiché dalle eruzioni si formano nuove isole e distese di terra fertile.

Molte storie su Pele hanno tratto spunto da fenomeni geologici reali. Per esempio, si dice che la densa roccia di basalto trovata sul Mauna Kea si sia formata in seguito a una battaglia tra Pele e la dea della neve Poli'ahu. Sconfitta dalla rivale in una gara di slittino *hōlua*, Pele si infuriò e prese a scagliare lava. Poli'ahu rispose raffreddando i flussi roventi con la neve. Una leggenda che descrive in maniera fantasiosa il reale processo di formazione del basalto.

UNA COLLINA SCOLPITA DA UN ORSO GIGANTE
La Torre del Diavolo, nota anche come Tana dell'Orso, è una montagna che si erge nello Stato del Wyoming (USA), costituita da colonne basaltiche formatesi da un magma fuoriuscito fra rocce sedimentarie. È celebre per i suoi ripidi fianchi rigati, che sembrano essere stati graffiati da enormi artigli.

Almeno 24 tribù di nativi americani tramandano leggende simili sulla sua formazione. Si racconta che il Grande Spirito fece emergere il monte per salvare alcune persone inseguite da un orso gigante. Nel vano tentativo di raggiungere le prede, l'animale incise i solchi nella roccia vulcanica.

LA LEGGENDA DI *FIMBULVINTER*
La leggenda norvegese di un "terribile inverno", il *Fimbulvinter*, preludio della fine del mondo, potrebbe essere nata dalla memoria dei Vichinghi di un'enorme eruzione realmente avvenuta in Sud America che immise talmente tanta cenere nell'atmosfera da oscurare la luce del Sole! Tale catastrofico evento determinò un inverno che si protrasse per almeno tre anni in Scandinavia, compromettendo i raccolti e il sostentamento delle popolazioni locali.

UNA STORIA DI 37 000 ANNI FA
Gli indigeni d'Australia vantano una ricca tradizione di racconti orali. Si pensa che una storia del popolo Gunditjmara descriva un'eruzione avvenuta circa 37 000 anni fa! Essa narra di quattro giganti che approdarono nel Sud-Est dell'Australia. Tre di loro proseguirono il loro viaggio, mentre il quarto rimase vicino alla costa e si trasformò nel vulcano Budj Bim. I suoi denti divennero lava, il cui flusso modificò drasticamente il paesaggio.

Nessun'altra eruzione che potrebbe aver ispirato la storia è avvenuta in quell'area, e alcune tracce archeologiche lasciano supporre che i Gunditjmara si siano stabiliti lì ben 50 000 anni fa. Si pensa che questa sia la più antica leggenda a venir tramandata di generazione in generazione attraverso la parola.

GLOSSARIO

Acqua sotterranea Acqua che si trova sotto la superficie terrestre.

Altopiano Area montana pianeggiante e delimitata da valli incise dall'erosione.

Aurora Uno spettacolo naturale di luci colorate che si manifesta nel cielo notturno in prossimità del Polo Nord e del Polo Sud.

Cambiamento climatico indotto dall'essere umano L'accelerato aumento della temperatura terrestre dovuto alle attività antropiche.

Camino idrotermale Fessura nel fondale marino da cui fuoriesce acqua geotermicamente riscaldata.

Campo magnetico L'area intorno a un magnete dove viene creata una forza magnetica.

Catena montuosa a pieghe Serie di montagne formate dallo scontro fra due placche tettoniche.

Ciclo dell'acqua Il ciclo continuo che l'acqua della Terra percorre attraverso i differenti stati della materia.

Ciclone Tempesta tropicale che si forma nell'oceano Pacifico meridionale o nell'oceano Indiano.

Clima Le condizioni meteorologiche medie in un dato luogo e in un lungo periodo di tempo.

Crioclastismo Un tipo di erosione che si verifica quando l'acqua si congela e si espande dentro le fratture nella roccia, provocandone la rottura.

Cristallo Solido le cui molecole sono sistemate in un reticolo ordinato. Molti cristalli si trovano nelle rocce e possono comporre forme assai belle e insolite.

Degradazione meteorica L'alterazione o la dissoluzione delle rocce, del suolo e dei minerali.

Domo vulcanico Rilievo montuoso formato dal sollevamento del magma contro la superficie della crosta terrestre e dal suo successivo raffreddamento.

Edificio vulcanico Rilievo montuoso formato dalle eruzioni vulcaniche.

Elettricità statica Un tipo di elettricità che si accumula sulla superficie di un materiale o tra più materiali, causata spesso dalla frizione.

Era glaciale Lungo periodo caratterizzato da temperature globali più basse e dall'espandersi di calotte glaciali e ghiacciai.

Erosione Il consumo e il trasporto di una roccia o del suolo da parte di agenti naturali, come il vento o l'acqua.

Estinzione La definitiva scomparsa di una specie animale o vegetale.

Faglia Frattura della roccia lungo la quale si verifica uno spostamento relativo dei due blocchi separati da essa.

Fenomeni atmosferici Fenomeni che si verificano nell'atmosfera terrestre, tra cui eventi meteorologici come i tornado e i fulmini, e fenomeni ottici come le aurore e gli arcobaleni.

Flusso di lava Colata di lava che fuoriesce da un vulcano durante un'eruzione.

Flusso piroclastico Densa miscela di frammenti di roccia incandescente, cenere vulcanica e gas che scorre velocemente da alcuni vulcani durante particolari eruzioni.

Fontana di lava Getto di lava che sgorga da un vulcano durante un'eruzione.

Fossili Tracce o resti preservati di piante o animali vissuti tanto tempo fa.

Frizione Forza che si crea quando due superfici o oggetti si muovono l'uno contro l'altro.

Fulmine Gigantesca scintilla elettrica causata da elettricità statica durante un temporale e scaricata a terra.

Geologia La scienza che studia la struttura, la composizione e l'evoluzione della Terra.

Geyser Sorgente calda che erutta periodicamente getti di acqua bollente e vapore.

Ghiacciaio Grande massa di ghiaccio in lento movimento.

Grotta carsica Grotta formata dalla lenta dissoluzione della roccia causata da acqua acida.

Grotta marina Grotta formata dalla lenta erosione delle scogliere causata dalle onde del mare.

Lava Roccia liquida o fusa che scorre sulla superficie terrestre da un vulcano o da una frattura nella crosta.

Magma Roccia liquida o fusa che scorre sottoterra nella crosta terrestre.

Materia organica Resti di esseri viventi.

Minerali Sostanze solide naturali che si trovano nel terreno, come i metalli o il sale.

Molecole I minuscoli elementi costitutivi di cui sono fatti tutti i materiali.

Nube di cenere Nube composta dai frammenti di roccia, dal vetro vulcanico e dai minerali prodotti durante un'eruzione.

Particelle cariche Particelle (minuscole parti di materia) con una carica elettrica.

Periodo glaciale Lungo periodo caratterizzato da basse temperature che si verifica nel corso di un'era glaciale, durante il quale grandi aree della Terra sono ricoperte di ghiacciai.

Periodo interglaciale Un lasso di tempo tra periodi glaciali, durante il quale le temperature globali aumentano e i ghiacciai si sciolgono e arretrano.

Pietrificazione Il graduale processo per il quale una materia organica si trasforma in una sostanza rocciosa.

Placche tettoniche Porzioni della crosta della Terra che si incastrano fra loro a formare la superficie terrestre.

Purificazione Rimozione di contaminanti che rende un elemento (come l'acqua) pulito e sicuro.

Rifrazione La deviazione della luce dovuta al passaggio da una materia all'altra.

Rift valley Grande valle o fossa formata da due placche tettoniche in reciproco allontanamento.

Rilievo a blocchi Sistema caratterizzato dal sollevamento e dall'abbassamento di blocchi di crosta terrestre lungo una o più faglie.

Rocce ignee Rocce formate dal raffreddamento e dalla solidificazione di lava o magma.

Rocce metamorfiche Rocce di un'altra categoria che hanno subìto una trasformazione a causa del calore e della pressione.

Rocce sedimentarie Rocce formate dall'accumulo di sedimenti compressi e compattati nel corso di milioni di anni.

Scienziati della Terra Persone che studiano i fenomeni terrestri.

Sedimenti Piccole parti di materiali (roccia, minerali o resti di piante e animali deceduti) trasportate dall'acqua o dal vento prima di depositarsi in strati sul terreno o sul fondale marino.

Sorgente calda Sorgente di acqua riscaldata naturalmente da attività vulcanica sotterranea.

Stalagmite Struttura appuntita di roccia che si innalza dal pavimento di una grotta, formata dai minerali depositati a terra dal lento gocciolio dell'acqua.

Stalattite Struttura appuntita di roccia che pende dal soffitto di una grotta, formata dal lento gocciolio di acqua contenente minerali.

Stratovulcano Vulcano a forma di cono dai versanti ripidi e dalle eruzioni potenzialmente molto esplosive.

Tempesta solare Disturbo dell'alta atmosfera terrestre causato dai venti solari.

Tifone Tempesta tropicale che si forma nell'oceano Pacifico nord-occidentale.

Tsunami Onda oceanica gigante, solitamente causata da un terremoto o da un'eruzione vulcanica sottomarini.

Uragano Tempesta tropicale che si forma nell'oceano Atlantico settentrionale, nell'oceano Pacifico centro-settentrionale e nord-orientale.

Vapore acqueo L'acqua nel suo stato gassoso.

Vento solare Flusso di particelle cariche che arriva dal Sole e viaggia attraverso il sistema solare.

Vulcano a scudo Vulcano dai versanti dolci e dalle eruzioni meno esplosive rispetto a quelle degli stratovulcani.

Vulcano estinto Vulcano che non erutterà mai più.

Vulcano quiescente Vulcano che non erutta da molto tempo ma che potrebbe farlo in futuro.

Vulcano sottomarino Vulcano che erutta sotto la superficie marina.

INDICE ANALITICO